D1484865

Gouvernement du Québec – Programme de crédit d'impôt
pour l'édition de livres – Gestion Sodec

info@lesmalins.ca

Éditeur : Marc-André Audet
Conception graphique couverture : Les Éditions Goélette inc.
Conception graphique intérieur : Marie-Ève Poirier
Dessins : Louise D'Aoust et Emmanuel Audet
Couleurs : Maxim Cyr

Dépôt légal – Bibliothèque et Archives nationales du Québec, 2012
Dépôt légal – Bibliothèque et Archives Canada, 2012

ISBN : 978-2-89657-175-5

Imprimé au Canada

Nous reconnaissons l'aide financière du gouvernement du Canada
par l'entremise du Fonds du livre du Canada pour nos activités d'édition.

Les éditions Les Malins
5967, rue de Bordeaux
Montréal (Québec)
H2G 2R6

Fafounet

Alerte au pays du père Noël

C'est l'avant-veille de Noël.
Tous les elfes du pays du père Noël
savourent avec appétit le célèbre pâté
picote de la mère Noël.
« ... Mais pour transformer le pâté en
pâté picote, s'exclame Elfe Gros-Orteil,
il faut, mes amis, le picoter avec du
... **KETCHUP** ! ! ! ! ! ! »

KETCHUP

Bien rassasiés, après avoir mangé
cette succulente tourtière,
tous les petits elfes du village
se blottissent dans leur petit lit
respectif, car demain ce sera
la dernière étape des préparatifs
de Noël, avant la grande distribution
de cadeaux à l'échelle mondiale :
l'emballage des cadeaux.

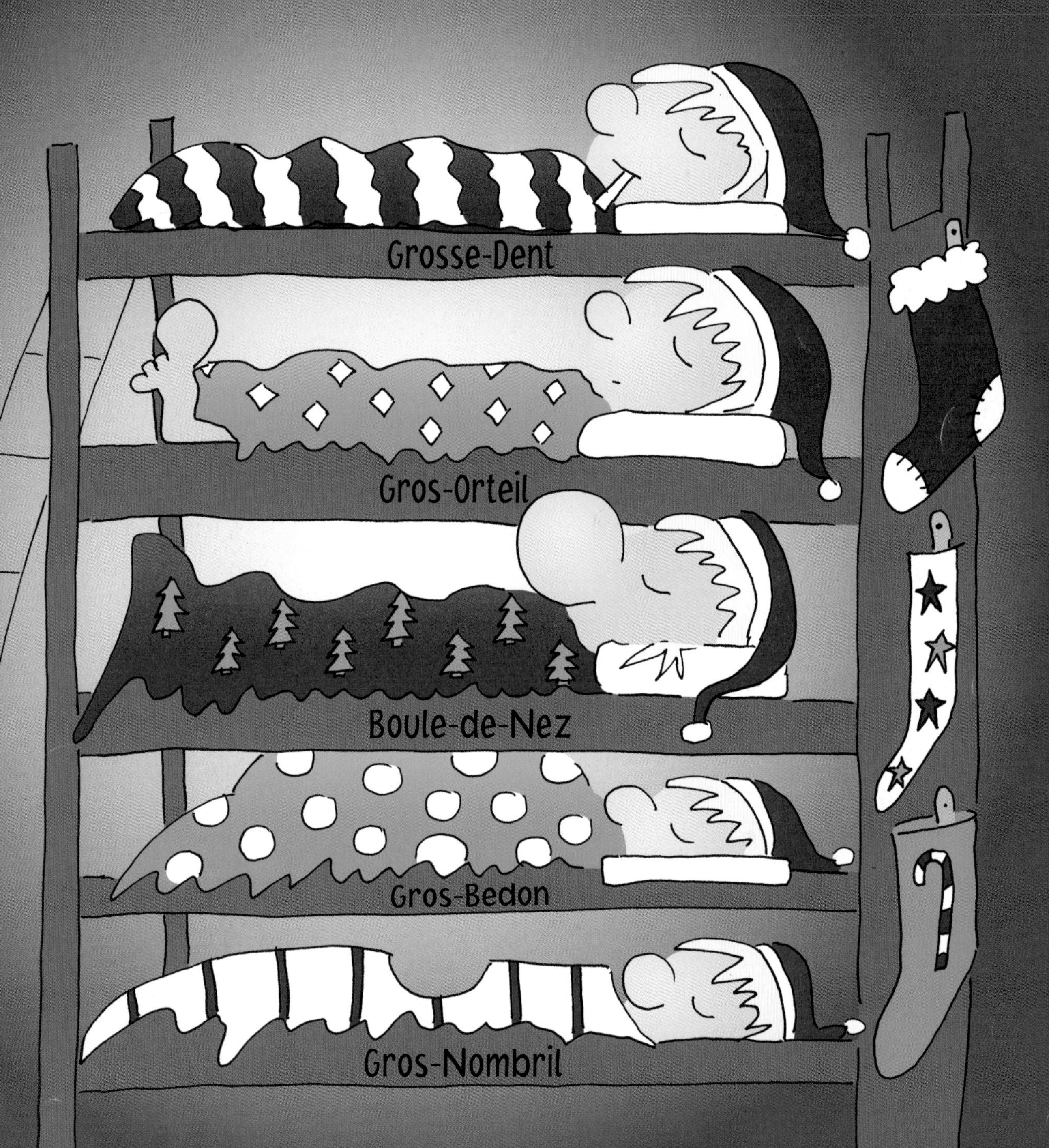
Grosse-Dent
Gros-Orteil
Boule-de-Nez
Gros-Bedon
Gros-Nombril

Le lendemain matin, le père Noël, affolé, accourt vers le téléphone. « Fafounet ? C'est la catastrophe au pôle Nord ! Les elfes ont mangé trop de pâté picote hier soir et, ce matin, ils sont affligés par la picote grelotte. S'ils emballent les cadeaux, les enfants du monde entier vont attraper la picote grelotte ils ne pourront pas jouer avec leurs nouveaux jouets. **C'est le DÉSASTRE total ! ! ! ! ! ! !** » « **Quoi ?** La picote grelotte ? s'exclame Fafounet. J'arrive ! »

#1

Fafounet s'empresse d'aller chercher Capucine et Fafoundé. Puis ils s'entassent dans la super fafoufe-mobile propulsée à l'énergie solaire.

#1
FAFOUFE
MOBILE

Arrivés au pays du père Noël, nos trois amis constatent de leurs propres yeux l'épidémie de la picote grelotte. **Elle est partout !!!!** « **Oh, là, là !** Ils sont vraiment mal en point les elfes, constate Capucine. » « Il ne nous reste que 5 heures avant minuit, dit Fafounet. Il nous faut trouver une solution. » « **J'ai trouvé !** s'exclame Fafoundé. Il faut concocter une potion magique.» « **Bonne idée!**» s'écrient Fafounet et Capucine.

#1

Armés d'une énorme louche et d'une gigantesque marmite, nos trois amis se mettent à la tâche. Un petit peu de flocons de neige par ci, quelques feuilles de houx par là, un soupçon de cannelle et on parfume le tout à l'eau de rose.

« **Mmmmmm**, soupire Capucine, ça sent bon. »

« Fafoundé, dit Fafounet, rassemble tous les elfes. » À la queue leu leu, chaque petit elfe avale, l'un après l'autre, une petite gorgée de la potion magique. Après un bon moment, Elfe Boule-de-Nez rouspète :

« **Mais... ça ne fonctionne pas !** »

« C'est vrai, Fafounet, ajoute Capucine. **Que faut-il faire ? ? ?** »

Fafounet, pensif, scrute son livre
de potion magique à la recherche
de la solution magique.
« **C'est la catastrophe !**
Les enfants n'auront pas leurs
cadeaux livrés à temps pour Noël !
Qu'est ce qu'on va faire ? ? ? ? »,
s'écrie Elfe Gros-Orteil.

LIVRE DES
POTIONS
MAGIQUES
1

En disant cela, Elfe Gros-Orteil s'enfarge
dans la queue de Fafounet, trébuche,
culbute, pirouette et se retrouve
tête première dans le chaudron
rempli de la potion.

En ressortant sa tête de la potion, chaque petit picot disparaît par magie, l'un après l'autre, en même temps que son gros orteil prend de plus en plus d'expansion.

« **Les picots sont partis !** » s'exclament en cœur les elfes. Ils accourent et plongent à tour de rôle dans le chaudron.

Elfe Gros-Orteil en ressort lavé de ses picots, mais son gros orteil est devenu gigantesque. Elfe Gros-Nombril a maintenant un nombril énorme, Elfe Grosse-Dent ne peut plus fermer la bouche tant sa dent est devenue immense, alors qu'Elfe Grosse-Narine peut maintenant sentir très loin avec sa narine majestueuse. Malgré ces changements, les elfes sont ravis d'être guéris de leur picote grelotte et s'empressent d'emballer tous les cadeaux de Noël avant les 12 coups de minuit.

Mais l'énorme narine d'Elfe Grosse-Narine
l'empêche de bien voir les cadeaux
qu'il emballe alors que Elfe Grosse-Dent
a du mal à se déplacer avec sa lourde
dent et Elfe Gros-Orteil ne parvient plus
à chausser son soulier.

« **Ouf**, dit Capucine, on a sauvé Noël.
Mais qu'est ce qu'on va faire pour que les
elfes redeviennent normaux, Fafounet ? »

Regardez, les amis, dit Fafoundé, je vois une étoile filante! « Quand il y a une étoile filante, il faut faire un vœu et il sera peut-être exhaussé, dit le père Noël. »

Fafoundé, Fafounet et Capucine ferment tous les trois les yeux en pensant très fort à leur vœu. Magiquement, tous les petits elfes redeviennent normaux. La petite étoile filante a non seulement éclairé le ciel pendant une fraction de seconde en cette magnifique veille de Noël, mais elle a aussi permis aux elfes de retrouver leur apparence normale, juste à temps pour Noël avant la grande livraison de cadeaux pour les enfants du monde entier.

Joyeux Noël !

Elfe
Gros-Orteil

Elfe
Grosse-Narine

Elfe
Grosses-Foufounes

Elfe
Gros-Poil-de-Cheveu
Elfe
Gros-Bedon
Elfe
Grosse-Dent